Un año con su mamá

La mamá osa y sus hijitos
estaban durmiendo en su cueva.
Pronto iba a llegar la primavera.

La mamá osa despertó
y tenía hambre.
La mamá osa sacó a
sus hijitos de la cueva.

La mamá osa olió el aire,
para ver si había algún peligro.
Los ositos lo olieron también.

La mamá osa se subió a un árbol,
se comió las hojas nuevas
y se puso a buscar miel.

Los ositos se la pasaban jugando.
También aprendieron a trepar.

La mamá osa llevó
a sus hijitos al río, porque
le gusta mucho el agua.

La mamá osa llevó
a los ositos a pescar,
y pescó un pez.

La mamá osa tenía sueño,
y los ositos también.
Les gusta dormir en el sol.

Todo el verano, la mamá osa
cuidó a sus ositos, pero les enseñó
a cuidarse de los peligros
y a conseguir su comida.

También les enseñó a asearse.

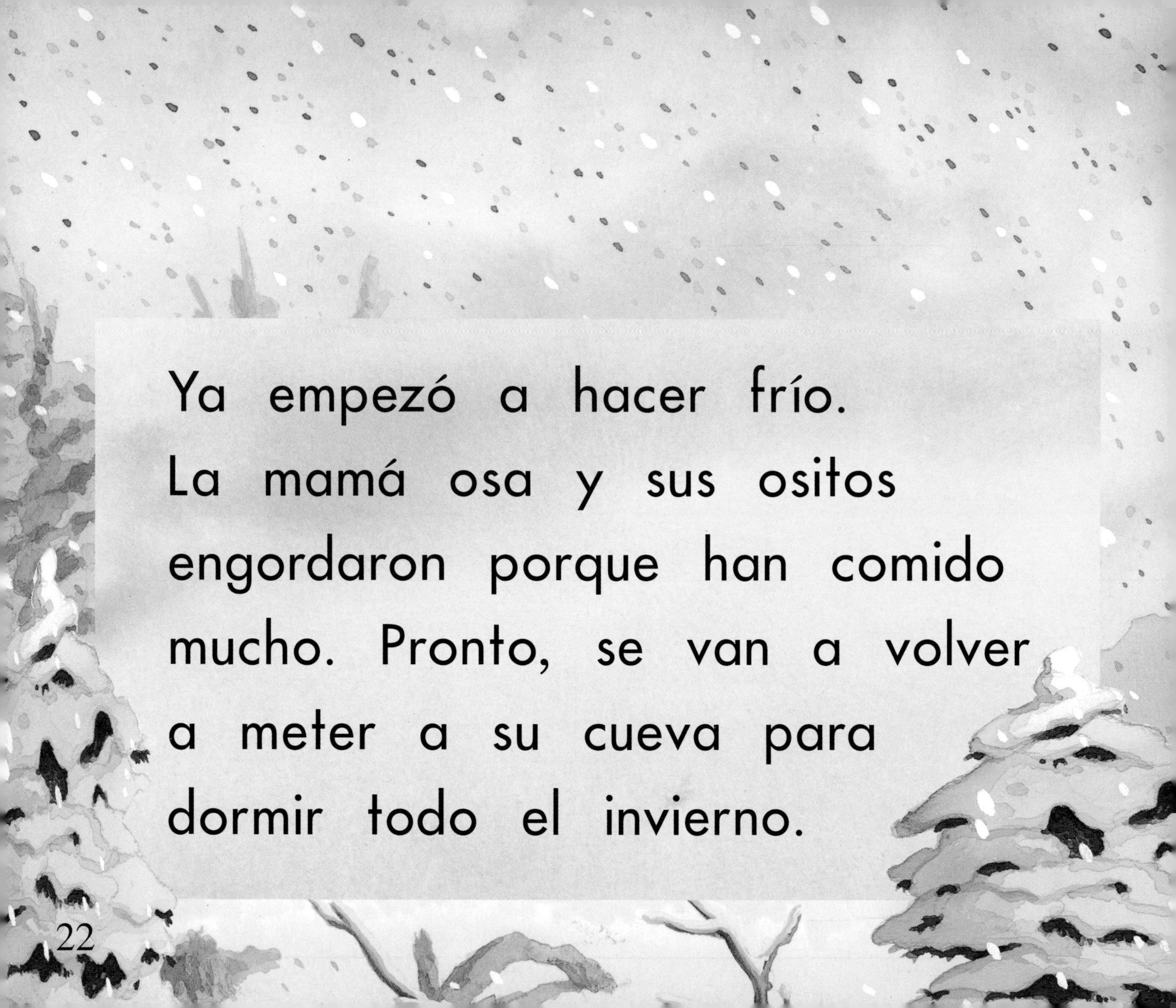

Ya empezó a hacer frío.
La mamá osa y sus ositos
engordaron porque han comido
mucho. Pronto, se van a volver
a meter a su cueva para
dormir todo el invierno.